# Eu canto o ípsilon

*E mais*

# Eu canto o ípsilon

## E mais

Bert Jr.

EDITORA
Labrador

Copyright © 2021 de Bert Jr.
Todos os direitos desta edição reservados à Editora Labrador.

**Coordenação editorial**
Pamela Oliveira

**Assistência editorial**
Larissa Robbi Ribeiro

**Projeto gráfico, diagramação e capa**
Amanda Chagas

**Preparação de texto**
Lívia Lisbôa

**Revisão**
Mauricio Katayama

**Imagens de capa**
Amanda Chagas
Luyse Costa

**Imagens de miolo**
Luyse Costa

Dados Internacionais de Catalogação na Publicação (CIP)
Jéssica de Oliveira Molinari - CRB-8/9852

Bert Jr.
  Eu canto o ípsilon E mais / Bert Jr. — São Paulo : Labrador, 2021.
  80 p. ; il.

ISBN 978-65-5625-204-9

1. Poesia brasileira I. Título

21- 4804                                                CDD B869.1

Índice para catálogo sistemático:
1. Poesia brasileira

**Editora Labrador**
Diretor editorial: Daniel Pinsky
Rua Dr. José Elias, 520 — Alto da Lapa
05083-030 — São Paulo/SP
+55 (11) 3641-7446
contato@editoralabrador.com.br
www.editoralabrador.com.br
facebook.com/editoralabrador
instagram.com/editoralabrador

A reprodução de qualquer parte desta obra é ilegal e configura uma apropriação indevida dos direitos intelectuais e patrimoniais do autor.

A Editora não é responsável pelo conteúdo deste livro.
Esta é uma obra de poesia. Apenas o autor pode ser responsabilizado pelos juízos emitidos.

*À família
aos amigos
aos amores.*

*Ao que é
ao que foi
ao que será.*

## Sumário

9 Pró-verbo
11 **Eu canto o ípsilon**
23 **E mais**
25 Agenda
26 Corrosiva
28 Agosto
29 Noturna
30 Platônica
31 Incidente
32 As libélulas
34 Paisagens
36 Sentimentos pela execução de Benjamin Moloise
38 Aquário
40 Vertigem
41 Pas de deux
42 Dueto para sintetizador e rabeca
44 Caso não raro
45 Maio de 83
46 Pecados
47 Ciências de um bar-jardim
50 Réquiem
51 Silogismo poético
53 Intervalo
55 Nota para um diário da espécie
57 O quem
59 Incógnito
60 Cantiga
62 Urgente
64 Problemas
65 Buraco negro
67 Repágina
69 **Pós-escritos**
71 O ípsilon
75 Língua

## Pró-verbo

*pro Luigi*

Para meio entendedor
talvez um poema apenas
baste.
Mas bastante ele arde
se é bom
para um entendedor.

# Eu canto o ípsilon

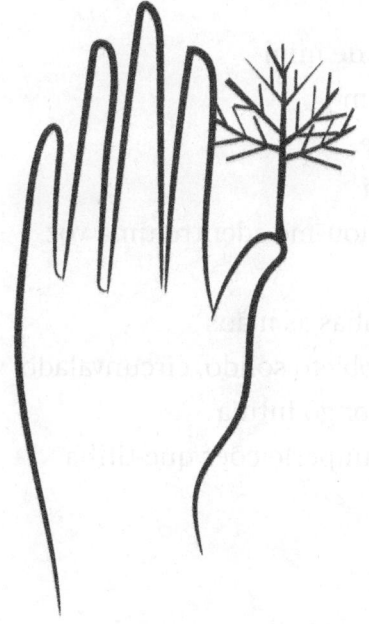

Cedo era.
O breu
mais comum dos elementos
sinalizava.
Tateando
fui pelo ar do campo
limpo
de obstáculos
indo
até que de mim
algo além
existisse.
Cheguei
proclamou-me adentro uma voz.
Agarrei
com ambas as mãos
aquele objeto sólido, circunvalado, vivo
o qual longo intuía
e pelas imperfeições que tinha
subi.
Subi
até o pé
ver-se metido
em natural forquilha
onde montado me encontraria
ainda
num disfarce de ramas
entre frutos
olhando...
Ao redor: o mundo.

Adiante dez anos passaram-se, longos
Num suceder de paixões truculento
Em que uns iam, de outros, tomando
O que de mais belo houvesse, ou valioso
Em base a voraz e instantâneo gozo.

Estrondo!
O herói
civilizador
pratica seu feito:
exemplo que salva
de todo arranhão
a imagem no espelho
do que é vão.
Silêncio!
Trabalha o bardo para cantá-lo
sacerdotes sussurram, o principal está salvo e
se lamentam muitos, outros em ganho
vicejam.
Festejos virão, e farelos
eis o certo.
Incerto seria o diverso
mas não.
Um dia mais
assim se faz
na sombra da árvore.

Quis
ao rosto dar
do decênio a vista
do lado oposto
onde o preço do seguinte
feito
tamanho não fosse
por seu deleite.
Divisar
procurei
tendo o pé na forquilha
a interessante fábrica
que de ilusões
distante
luzia.
Vi
no dourado brilho
de singular alvorúsculo
os momentos
exatos
em que o Justo
o Livre
o Fraterno
eram em vidro
moldados.

O Justo, olhar penetrante, sóbria beleza a emanar de altivez, profundo temor infundia, ao sabermos, no fundo, que por simples ato, ou omissa teimosia, haveremos de ser condenados todos, ao menos uma vez, algum dia. Pelo Livre, indômita figura, cabelos revoltos, tão sempre prestes a agir, inevitável apaixonar-se, mas conduzem os impulsos a derrapantes trilhas, que, à beira de abismos, por mais sedutoras, arriscam fazer sucumbir a vida. Ao Fraterno, com sua cândida têmpera, quem não gostaria de unir-se, no afã de com todos repartir o bem, a soma de tantos, porém, sob único lema, faria, sem distinção, de cada quem mais um apenas, e, por fim, ninguém.

À noite
já alta
sob a prata
do luar intenso
e baixas temperaturas
aquilo que o fogo aprontara
pronto desandaria
e ao romper-se as obras de vidro
prenhe o espaço ver-se-ia
de afiados, letais
estilhaços.

Das
folhas e
galhos da árvore
abrigo me fiz
mesmo assim
um olho perdi
dado o voo certeiro de um
caco
oriundo do Justo
Livre ou Fraterno
não sei precisar ao certo.
Cá co-
migo guardei
cuidadoso
caco e olho no bolso, pois
um dia
quiçá
a verdade
apareça
(ou ao menos vá
que se consiga
endireitar a vista).

Recordei
as rodas, quatro
numa só em chamas
da luminosa
profecia

quando outra volta
imprimi ao corpo
e fez clamar o tronco
pelo giro do pé
na forquilha.
Vasculhando
agora
com ciclópico olho
o terceiro ângulo daquele entorno
grupos inteiros
vi
ou
mesmo
indivíduos cujo mover-se
era engodo apenas
substrato infirme
a invisível existência.


Refleti
um instante
na dolorosa sorte
do que teme
e tanto, que treme
ao mínimo gesto vivícola.
O sol o fulmina
o vento o fustiga
a um aroma diverso
aflito se sente

e logo se fecha, se encolhe
e quando seguro se
julga só
mente se
tolhe.
Récua
seriam chamados
não fossem gente.
E não há como disso recuar.
Teriam
talvez, um dia
tido também o pé na forquilha
sem haver nunca atinado
com simples girar do tronco
a permitir que o ignoto se aviste
de ângulo
outro.


Cansado
já meio
com câimbras no pé
dolorido
girei
não mais que o pescoço
e regalei ao olho
o infinito não, evidente
mas o último
rumo
vidente.

E lá
pessoas havia
em que o sol se refletia nos dentes
entretidas em afazeres vários
somando alegrias a dores
inevitáveis, levando
fardos à consecução de algo
desejável.
Lá
avistei quem
não mais ofertasse odes aos reis.
Em vez
disso, conta-
cantavam-se estórias
tramas eternas e novas
coisas tais esfumando-
-se iam no ar, mas por ar-
tes de arcano poder
seu teor podia-
-se filtrar
ou in-
alar.
Mãos
ligavam-se a outras
no intento de transpor o sonho
de um para muitos
e destes
a cada
um.

Imagens de cenas tantas, díspares,
circundantes, me tiveram exausto, adormeci.

Sonhei-
 -me no mar
 sobre o balanço
 de ondas, indo aportar
 em praia de areias cálidas, ilha talvez
 que maior ficava quanto mais se a sonhava.
Ali, indaguei-me adentro, acaso haveria
 a gente aquela
 que eu vira, de pé, sobre a forquilha,
 na árvore que me acolhera
 em meio a galhos sobranceiros?
 No mar, a emoção era outra. Estava-se
 solto
com certo amparo, embora tênue. Podia-se,
coordenando o esforço entre braços e pernas,
mudar o rumo, avançar...
Nunca para sempre, é claro. O corpo chão
pede, a emoção de pisar areia,
de envolver os pés em farinha, como estando-
-se a ingressar no menu da vida. Ao da orla sair
para outro terreno, olhei para baixo e vi pedras
em lascas, vi ossos, carcaças, adiante destroços.
Tive então a certeza de que, em breve, à civilização chegaria. Preferi, no entanto, manter-me
ao largo de atritos, pois sonhava, ainda, e isso
tinha suas regalias. Depois de observar um tempo,

percebi que o mundo se tornara imenso e me incluía, limites já não mantendo. Desesperado, quis retornar à árvore, mas tropecei na trilha. Ao tentar erguer-me, vi a meu pé acoplada estranha forquilha. Impossível removê-la, sendo ela carne feito a minha. Com jeito, a carregar no esforço certa moléstia, parei-me em pé e olhei, de uma agora avantajada altura, para todos os ângulos, como se suspenso girasse sobre roda profética, quádrupla e ígnea. Ao longe, pareceu-me divisar um aceno. Sim, alguém, com efeito, seus braços movia na direção em que eu estava. Respondi-lhe veloz com o mesmo gesto. A silhueta longos cabelos tinha e por seu corpo flexível curvas desciam. Vivo o contato mantive com de onde o chamado provinha. Mesmo à noite fiz-me avançar, ao lume de repentina fogueira em meu destino acesa. De manhãzinha, desperto ainda, avistei, enfim de perto, o local de chegada. Quis pensar em quem acenava como alguém que pressentisse na visão final de minha arbórea fase. Isso em mente, e olhar amigável, em tal direção prossegui.

Cedo era.
O breu àquela altura
se desfizera.

# E mais

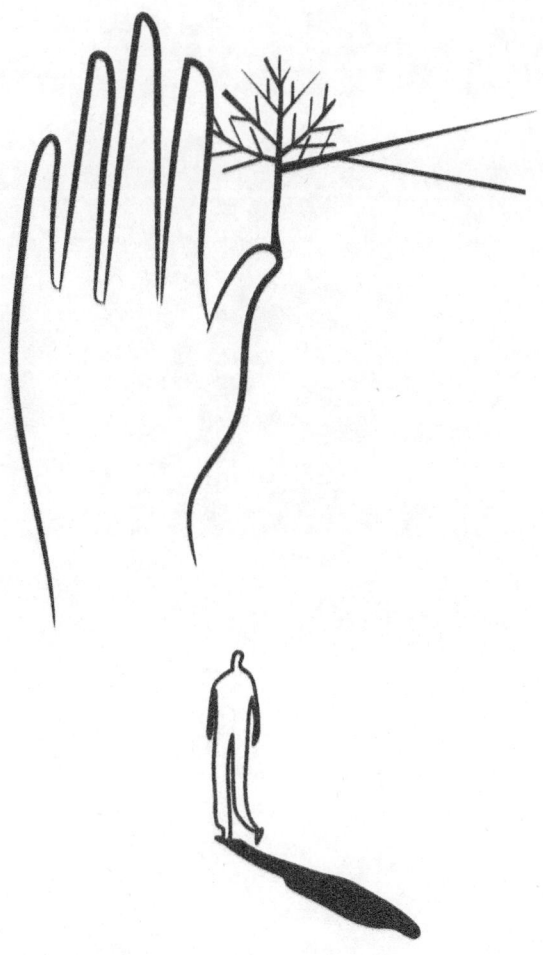

## Agenda

    Fundos de gavetas, envelopes suspeitos
dentro de armários, regiões habituais
de antigos poemas.
    Às vezes me faço arqueólogo e vou até eles
ver se há vestígios que provem uma evolução.
Só que não busco australopitecos.
Quero o sapiens, o sapiens-sapiens com seu
                      [grande cérebro
e pernas elásticas e movimentos gráceis e
maxilares fracos e miolo mole e uma língua
                            [ríspida
e tudo que implica emotividade desenvolvida.
                  [E todas as coisas
bonitas que eu jurava escritas já lá não estão,
                        [mas perdidas
para a pesquisa se reintegram à vida
feito dados num jogo.
    Colho esses dados
para tornar a lançá-los
    no rumo
indicado na frase:
"nada ou
quase uma
    arte".

# Corrosiva

Roam baratas
Roam
As velhas fotografias de infância
E com elas as recordações que povoam
Meu cérebro corroído pelo ácido nostálgico

Roam
Minhas roupas e me deixem nu
Das ambições superficiais que habitam
Meu corpo sujo de marcas de sabonetes

Roam
Meus membros
Meu tronco
Minhas vísceras

Roam minhas mãos e meus dedos e destruam
O poder e a rispidez dos dedos indicadores
A prepotência dissimulada dos dedos anelares

Roam
Meu peito marcado pelas cicatrizes do ódio
E a marca dos amores que continuam vivas
Dentro de meu coração corroído pelo ácido
[platônico

Roam
Meus olhos para que não haja mais olhares
                    [não correspondidos
Meu nariz poluidor de meu pulmão e minha
                                    [boca
Para que não dê o testemunho de uma vida
                                    [inútil
Mas não
Roam baratas
Não
Roam
Meu par de orelhas
Deixem-nas assim separadas pela distância
                            [de uma cabeça
Para que possam ouvir o ruflar das asas
                            [de uma borboleta

# Agosto

Mana
a sala é fria
o tapete é ralo
o vento adentra e assobia
nas frinchas das janelas

as cordas
do violão endureceram
e nem ventos conseguem
convencê-las a
serem sonoras

telefonema mudo
minuto cristalizado no relógio
vaso plantado estéril no balcão
poeira sedimentando lenta
palavra desmanchando no vidro baço

Mana
o livro que lia desmarcou
e o que li
se apagou

**Noturna**

sentados no muro
a distância ainda existe
e palavras se somam ao necessário

porém
num dado instante as
garrafas vazias de refrigerante
são lunetas que aproximam
nossos interiores

## Platônica

sobre um par de meias pretas
atiradas por cima da cama
as traças escrevem teu nome
para o espanto de meus olhos
                    analfabetos

## Incidente

no choque
da cara contra a navalha
a mão de um simples barbeiro
segura o ágil lagarto
e seu rabo-instrumento no cio
mas a cara do cavalheiro
se lança ao desafio
de revelar à lâmina
a cor mais extrema
de seu ofí
      cio

## As libélulas

### I

na mata
elas são como peixes
                  na água
    flutuam nas folhas
          esguias libé
   lulas desbotadas

  seus corpos
  sem cor
destoam da flor
     o amor
vê-se sem viço
em tal anatomia

eis que se elevam
     — palhas aéreas —
  num esboço
  de etérea
  monotonia

**II**

em voo
velam consigo
a misteriosa falta
de brilho e fascínio
percurso
sem lógica nem raciocínio
em que se tornou genética
a palidez da espécie

## Paisagens

### 1. Os campos

retilíneos
ásperos
ralos
e
frios
são
os
olhos
de quem ainda não partiu

### 2. Os telhados

o musgo se espraia
sob os pés dos pardais
gramando sua fertilidade
como à sombra dos pardieiros
sepulta-se a dignidade

também o sol se entrega
e morre ao final do dia
manchando o leito azulado
com as cores da hemorragia

tudo muda então com a lua
outros astros se insinuam
mas aquilo que se guarda
debaixo dos telhados
continua


### 3. As rochas

quem se importa com as rochas

quem se toca
a examinar as cracas
os mariscos com suas raízes a se entranhar
naquela rocha que a cada século cede
um centímetro

quem se move, quem gritará
pelo cristal não lapidado
dilapidado sem saber disso

se a rocha não atenta
para a vida que a parasita

se a rocha nada atenta
contra a vida que sustenta

## Sentimentos pela execução
## de Benjamin Moloise

*ao poeta negro sul-africano*

trinta anos!
ainda tanto...
e o peito de um povo nas costas

seu corpo pendia ontem
em meio ao tumulto e à história
pantera alongada num bote eterno

                corpo recorte negro
                sombra tomando corpo

o governo lhe deu
seu último presente: o colar fatal
para calar sua mente

                sombra, de um povo espinha
                silêncio de concha marinha

o enorme ciclope claro declina sangra seu olho
antes de ouro escurece em volta orvalho
nos cálices a borda do penhasco
invisível agora coisas belas
e perigosas todas elas
submersas na
negrura
funda

na paisagem a armadilha e a fera
no poema a forma e a ideia
na áfrica a raça e a humanidade

pois não se pode tocar a sombra
nem parar a tempestade

*Porto Alegre, 19/10/1985*

# Aquário

## 1. Medidas

Porque não vivo
habitualmente não vivo
submergindo
pouco entendo de abismos.
O meu conceito de vida
não é de uma espécie que exista
eternamente suspensa
(embora seja plausível
compactuar com o precipício
que nos sustenta).

## 2. Habitantes

as ideias que me passam
não possuem a destreza sutil
      a cintilação imprevista
   das criaturas que pesquiso
em tuas pupilas marinhas
      e na selva coralínea da tua boca

## 3. Tesouro

A exploração que faço
desconcerta a cada passo
o galeão afundado da ciência
— método, rotinas, teses indutoras
o sumo das amostras contamina
com o susto precioso da brancura.

## 4. Marés

porque preciso de luz para ver
me escapam as formas sutis
que pode assumir a avidez

## 5. Mergulho

borbulha
nas profundezas das coisas
a eloquência daquilo
que se quer
mudo

**Vertigem**

à borda do precipício
as coisas todas arriscam
despencar
menos o orvalho
que desce devagar
até o fundo do abismo
onde nutre a flor obscura
obscura mas não menos pura
com a qual muitos sonham
e pouquíssimos ousam
imaginar

## Pas de deux

Há momentos em que o movimento
consegue fazer sólidos flutuarem
aflições ficarem gasosas
voláteis.

De ti me lembro
de braços longos e pernas fortes
descolados esses membros
de dentes claros e um riso tolo.
O que me prendia já não recordo
só que dançavas
e a dança é uma tontura pior que a força
centrífuga
porque nela não há fuga
somente o centro de tudo
convergindo no que se é.

(movimento e postura fundidos em forma única)

como uma nuvem pudesse
ser também uma estrela

(ímpeto e formosura
num único conceito)

como uma máquina fosse
ao mesmo tempo uma árvore
cuja sombra voasse
e os frutos dessem em marte

## Dueto para sintetizador e rabeca

Convidei-a para um jantar
à luz de estrelas
no vale da grande fenda
jogaremos frases feitas
as palavras serão bumerangues
até que um disparo ecoe
e o cardápio mude
                faremos adivinhações
que abalo exporá ainda mais
a falha sob as cadeiras
que nos sustentam confortáveis
e irá agravar a fratura
no cotovelo que a américa crava
em sua fina cintura?

    Diz-me ela então com ares
    já é tempo de semear chocolates
    na ilha de páscoa.


Insisti em convidá-la
a mirar o infinito
lançar pedras ao pacífico
jogar-se quiçá num mortal
na fossa de mindanao.

Mas ela falou de colinas
   já é tempo de haver bailarinos
   nas encostas do nepal.

amor, ouve um breve poema
de um jovem samurai
   ai, não tenho escudo
   responde ela de súbito
é a estória de um guerreiro
que sem armas fere quem ama
   queria ver tanto as tulipas
   nos campos da holanda
ergue firme esta lâmina
e quando eu calar...

nilo, esfinge, crocodilos
   (seus olhos em mim postados
   me escoltando soldados)

leve tremor me alcança o ventrículo
trombeta aclamando o ventríloquo
e num sorrir embarco

jangada, água de coco, garimpo de ouro

ainda tão cedo, respondo
como quem arranca uma felpa
do dedo

## Caso não raro

dois nomes dois ciscos
no olho do grupo
e o desejo indizível
    por sobrenome

ternos
já nos tivemos
efêmeros
não nos ativemos
em ter-nos

**Maio de 83**

nossos gestos melancólicos
são caroços de ilusão
jogados fora
ao som de momentos mudos
dissolvendo os conteúdos
insolúveis
da paixão

## Pecados

a gula é a usura do que não se teve ainda
e marta à morte nunca fora
tão linda
sussurra a velha pendurada na parede
(metida entre travesseiros
parece mesmo uma torta
tendo a morte de recheio)
os olhos de marta pela casa
querem ser frutos nos azulejos
ou sementes em tapetes sujos
maçãs saltadas nas faces
soltas na camisola
a boca murmorangando
conjurando seus segredos
persuadindo os movimentos
a uma última encenação da beleza

um tremor, um gemido
marta morre
sozinha no quarto
comigo

## Ciências de um bar-jardim

### 1. Fitoflash

eu cravo
nessa rosa meus olhos
pousam como um colibri roça
seu voo na saia de pétalas
não saia, não saia de perto
de mim.

### 2. Cissiparidade

rosa
assombra a si mesma
se ensimesma em flor e mostra
o apenas botão pleno
dissolvendo em luz e cheiro
outro fenômeno

## 3. Interfase

algo lindo, esquisito
algo mágico, sinistro
um bafejo num vidro
onde surgem hieroglifos

## 4. Analogênese

    escurece em volta
o orvalho serve os cálices
à borda
   giram nossas corolas
     como folhas denotam
        o vento
   um girar não planetário
não o spin de um elétron
nem seu spin contrário

nem mesmo o girar da engrenagem
que só conhece gerar-se
  (quem sabe o grito das coisas
    dentro da tempestade)

### 5. Fitoflesh

gineceu com sua noite
gin e céu carmesim
e junto uma estrela à morte
candente vulcão
lactante
moléculas, gás e cinzas
pétalas
disso
l
v
idas

se me importo
é
bem-me-quer

# Réquiem

*ao tio querido*

Débil vontade transposta em imagem
declaração pública, drástica
sobre a alma, enfim, que lhe coube.
Responde, entretanto, a alma:
a vida é que nunca soube
lhe ser entusiástica.

Corpo esquálido, tradução
com tintas naturalistas
de quem de si mesmo se manteve alheio.

Pilotando avião de papel
sonhaste um trajeto de eterna estreia
sem ter com o vento combinação prévia.

Sobre a tua palma magra
não se viu nenhum milharal.
Ouço no entanto teu riso
vertendo puro numa cascata.

Dela emana esse canto
de alegria que não se perdeu.
Com ele alguém se faz belo
talvez a tua filha, talvez eu.

## Silogismo poético

O que perdemos ao fim
de dias compridos
depois de expedientes cumpridos
não encontramos num breve passeio
numa volta pela praça
nem no céu das avenidas
nos rastros de lã de um carneiro
que se foi entre anil e nanquim
grisalho apesar de eterno.

O que perdemos não se acha
porque não se sabe o que seja
se acaso é a notícia fresca
uma hora de ginástica
talvez um instante em silêncio
sentados na relva de um parque
ou mesmo o brilho ofuscante
da tarde no espelho de um carro.

O caracol que tromba no
muro
racha e se esmigalha sem
barulho
compõe o elenco infindável
das cenas que jamais veremos.
No entanto tudo somado
ainda não é o que perdemos.

Talvez o melhor seja mesmo
seguir o carneiro
e
deixar-se tentar
eludir o tempo.

## Intervalo

a tarde não vem
não se oferece
nem mesmo é um martelo que desce
sobre os meandros de veludo da rotina —
mas a impressão desse ritmo manco
nos faz exclamar algo em meio à trilha

na tarde a impaciência aumenta
com a febre que o exterior exala
preenchendo a sala de uma urina etérea
onde fermentam sobras de vida
que sobem das ruas, esquinas
e avenidas

a tarde não cai
não se despe nem se despede
apenas a confusão cresce
entre a sombra e a imagem
sobre qual se incorpora e qual é miragem
entre o que se ergue e se alquebra
sobre se um é vontade e o outro um fantasma

a certa altura do
esquecimento
o susto de um giro brusco
desencaixa o parêntese
entre o escritório e a cidade —
é esse o instante
em que mais dói na tarde
sua identidade

## Nota para um diário da espécie

que faz o bêbado?
sei que bebe, que mais?
será que adormece, de fato?
ou apenas desaba na mesa
babando entre garrafas secas
depois tomba na calçada
e por onde passa escorrega
tropeça, desmorona...

que faz o bêbado?
entrega-se?
à bebida eu sei, a que mais?
chora mesmo de verdade
ou sua emoção é bastarda
falseada pela embriaguez
incapaz de ter origem
no que não seja repulsa e piedade?

sonhará o bêbado? ou viverá em pesadelo
onde o único sonho recorrente é o do vômito
que lhe permitirá beber novamente?

que faz o bêbado?
talvez tudo melhor do que os sóbrios
quiçá durma liberto de angústias
se lance às emoções mais puras
sofra sem precisar de consolo
sonhe com um amanhã perfeito

a bebedeira do bêbado
seria então uma prece
                doente
para que o mundo

        endireite

## O quem

Quem é esse
que nem nos anseios
seu reflexo enxerga?
e se debate
qual ser aquático
na rede de bolhas
que rabanadas histéricas
criam

Quem é esse
que se move num bosque
de íngremes dúvidas?
e sem búzios nem bússola
sofre
por desejar
apenas dizer
é isto
ou eis o caminho

Quem é esse
que superior se crê
sendo abjeto?
e se jacta do feito
de banir do peito um afeto
para então renegar
a sede que sente
de arrependimento

esse Quem sou eu
mais Quem
menos não saberia
o que inclui a ti
e também
Quem mais compartilha
o pão borrachudo
largo
oblongo
elasticamente indizível
alimento da fome que
move
e detém
cada Quem

## Incógnito

Porto Alegre — Brasília — Bogotá
de novo Brasília e depois
Karachi — Islamabad — Lahore —
Nova Delhi — Daca — Bangkok — Paris —
Londres — Genebra — Buenos Aires e
Brasília. Logo Nassau — Brasília — Lisboa —
Dacar — Brasília. Aí Roma — Caracas — Brasília.
Então Montreal — Brasília — Georgetown —
Brasília — Castries — Brasília — Santa Cruz
de la Sierra — Brasília — Lusaca — Praia...

Onde irá dar essa linha
que se desenrola em zigue-zague?
Olho a superfície do mapa
e não adivinho os propósitos dessa diaba.
Vejo, examino
preocupo-me até altas horas
o sono por fim me derrota.
Passa a noite, outro ano
mais um dia.
(Atrás de mim um menino
brinca com a carretilha.)

## Cantiga
*para Anninha*

a luz é uma oração incontida
um trecho de canção esquecido
que súbito volta à memória
em vão nesse sótão o destino
teima em cerrar janelas
sempre haverá uma réstia
para que o azul escondido nos teus cabelos
desprenda seu brilho e permaneça
aceso
       dentro mesmo da luz

estás em teu elemento
quando impulso e perplexidade
fundam teu caráter duplo
e te permitem o encaixe
à idiossincrasia ondulatória da luminosidade

teu rastro fulgurante é seta
voltada para o cerne da vida

no cálice pagão do teu rosto
sorvo o olhar gazeteiro, tua voz
gritada
e me disponho a buscar-me de
novo
não só em perguntas-escombros
em meio à penumbra do sótão
contemplativo
mas sobre rochas agudas
num ponto onde o mar é bravio
no momento em que o sal e o pulso
enovelam o mistério de tudo

## Urgente

nada sei de onde estou
tenho lembranças e só

aponte
a ponte
senão o momento se perde
inerte em si continente
e o tempo é corrente tão forte
que alaga

aponte a ponte
cansei de buscar o pote
só penso agora nas cores
e no ponto em que o suicida
pode ainda querer a vida

a ponte
aponte
a megaestrutura de aço
com seus desafios
infinitos
ou o simples tapume
puído
que faz assombrar girinos

aponte
lá no horizonte
ou pouco adiante
larga ou estreita
útil ou poética
a ponte
onde a viagem
    Aponta

## Problemas

problemas molestam
moleques e avós
são tantos os nós
que nos atam receios
não é?


problemas suscitam
pimenta nas horas
e nos dias palpitam
projetos vorazes
não zé?


problemas eternos
as costas carregam
as mesmas que damos
quando ao largo passamos
noé?

## Buraco negro

na foto parece
moela de galináceo
no centro da galáxia

ademais rodo-
pia
espargindo sua baba
de mundos triturados

que venha uma câimbra
uma hérnia de hiato
paralisar essa força macabra
terrível revanche
de estrela arruinada

mas nem magia adianta
quanto mais a negra, que só alimenta
o que está comprovado: toda forma de vida
pode ir pelo ralo

fazer penitência tampouco ajuda
ao orar de joelhos
rezando o terço
a certeza tétrica se desdobra em dúvida
que deus planejaria
um câncer no seio do cosmos?

descartado deus
resta só a natureza
que demonstra ser monstruosa
ou vai ver que esta
tem lá suas dores, adoece
e o buraco negro vírus seja
mas em forma gigantesca

depois disso
como dormir
com que sonhar
senão com o regresso de um deus
que aprendeu a curar?

## Repágina

as páginas dos livros
estão repletas de murmúrios
infrassons, assobios agudos
que perfuram os tímpanos
do raciocínio

além da métrica, da rima
da frase arrumada, construída
existe a água de cecília
que escorre vidro líquido
mangue anímico

o desejo desliza
nessa matéria
a um só tempo límpida e viscosa
de encontro a caravelas
com porões carregados de euforia
e bofetadas

quero gozar a vida
só que às vezes falta bebida
noutras sustento um monólogo
com os tímpanos perfurados
e persevero
os pés
metidos na poça
onde as palavras se lavam
e de lá retornam
inusitadas

# Pós-escritos

# Pós-escritos

## O ípsilon

Antes de haste fui tronco
Quando o simples fato de estar ereto
Era muito
Mas me afastei
Da fase vegetal ao fazer-me
Trave ambulante
De osso e de nervos
O metal viria depois
Com o tempo

Ao sentir
Falta de mirar em algo
Me cindi na porção superior de mim
E no espaço lancei dois membros
Em forma de vê
No centro dos quais
Foquei a vista
E passei
A perseguir a vida

Os membros podiam ser
Rijos
Ou brandos
A depender da estação do ano
E servirem de arma
Ou antenas

Para explorar o mundo
De uma
Ou outra maneira

Da forma
Me veio a ideia
De recordar as vitórias
E os feitos
Por meio de um símbolo
Ao erguer o braço
E
Do punho fazer
Emergir dois dedos

Em sonho
A ideia
Forma outra tomaria
Com os dedos a evocar
Não fatos nem feitos
Mas coisas sutis
De sentido
De si capazes
De impregnar o futuro

Abri os olhos
E vi
A forma sonhada
No vasto quebra-cabeças

dependendo de girá-la assim como a mim mesmo
para que a haste ocupasse agora posição superior
fincando o espaço com os membros dirigidos
para baixo podendo-se atar a seu cimo uma
bandeira para simbolizar o que se queira desde
um lugar específico até o delírio acerca de algo
que promova um surto de esperança de sentido
novo ou derradeiro para si e o mundo quer juntos
ou divididos ainda que uns aniquilem outros
ou mesmo todos se não se puder convencê-los a
querer idêntico sonho ou pesadelo pois o rumo
para o nada passa por inúmeras rotas que ora
se cruzam ora se afastam mas se alheiam todas
do essencial
se pudesse
faria o caminho inverso
levando o real
ao encaixe em universo mágico
onde as coisas se tornam sutis por meio de um
          [sentir mais fundo a uni-las todas
vejo
porém
que haverá sempre arestas em direções opostas
e trago também esse símbolo
em meu próprio corpo
cindido
desde o início
a mover-se precário
de equilíbrio

percorro
então
meu próximo sonho
em que sinto formar-se o esboço
de um recomeço
nele
agora se monta
verdadeira equação
em que o ípsilon
não mais
em solidão se erige
e por vezes nem mesmo
o que almeja seja
o xis
da questão

## Língua

num galope selvagem
                enfrene
  por terreno vasto
      cujos
        obstáculos conhece
  e salta
como ninguém
      ou
  lânguida
    feito
  trança entre espáduas
     corrediça
    esguia
    reptílica

       convém
    da tua
  cuidar sempre bem
se não quiseres perder-te
     e a outrem
   no vai e vem
  de enunciados
  quais os dela
  provêm

                    látego pulsante
                a romper sinapses
                            no próximo
                inimigo
                à distância mantido
                pela ameaçadora força
                de seus golpes
                                ou
                            espada
                de serventia eclética
                            reclamada
                por seres de angélica origem
                e da mais terrena dialética
                    para a imposição
                    de propósitos
                ora grosseiros ora sutis
                    mas entre e de si sempre
                inconsúteis


                    pois convém
                da tua
                cuidar sempre bem
            se não quiseres ferir-te
                    e a outrem
                no vai e vem
                de juízos
                quais os dela
                provêm

             lampejante criatura
          arguta
                luminosa em sua
             sonora descarga
          conceitualmente
       voltaica
       ora impressa
          ora etérea
             a fundir rumos e sonhos
                        no âmago de seu
                              fulgor
    ou
    caixa de pandora
             insondável
    até que se abre
e de dentro surgem
                todas as possibilidades
          que mais não cabem
                     em caixa nenhuma


    por isso mesmo
                convém
          da tua
    cuidar sempre bem
    se quiseres poupar-te
          e a outrem
                de inúteis desastres

   e ainda
sobretudo talvez
      se quiseres
  oferecer ao mundo
    original vislumbre
    genial versão
        de tudo
     inclusive de ti
         e de
          outrem

## Agradecimento

Não poderia deixar de registrar a minha profunda e sincera gratidão ao poeta e publicitário Marcelo Pires da Silva, pela duradoura amizade, iniciada ainda nos tempos de colégio, em Porto Alegre, assim como pela inesquecível e saudosa cumplicidade de nossas primeiras incursões no território mágico da literatura.

[ Esta obra foi composta em Blacker Text 11,5 pt e impressa em papel Pólen soft 80 g/m² pela gráfica Meta. ]